CW00543005

Pour Louane, qui chasse les monstres, les loups,
les dinosaures... et les vilaines sorcières !
CL

À mes petits sorciers de neveux
qui m'ont précieusement aidé lorsque j'ai réalisé cet album !
RG

Dans la même collection :

COMMENT RATATINER LES ARAIGNÉES ?
COMMENT RATATINER LES CAUCHEMARS ?
COMMENT RATATINER LES DINOSAURES ?
COMMENT RATATINER LES DRAGONS ?
COMMENT RATATINER LES FANTÔMES ?
COMMENT RATATINER LES LOUPS ?
COMMENT RATATINER LES MÉCHANTS ?
COMMENT RATATINER LES MONSTRES ?
COMMENT RATATINER LES OGRES ?
COMMENT RATATINER LES PIRATES ?
COMMENT RATATINER LES SORCIÈRES ?
COMMENT RATATINER LES VAMPIRES ?

Couvent Sainte-Cécile
37, rue Servan - 38000 Grenoble.
Loi 49956 du 16 juillet 1949 sur les publications destinées à la jeunesse.

Dépôt légal : octobre 2009
ISBN : 978-2-7234-7162-6
Achevé d'imprimer en Espagne en août 2013 par Indice S.L.,
sur papier provenant de forêts gérées de manière durable.

Comment ratatiner les sorcières ?

Catherine
LEBLANC

Roland
GARRIGUE

p'titGlénat

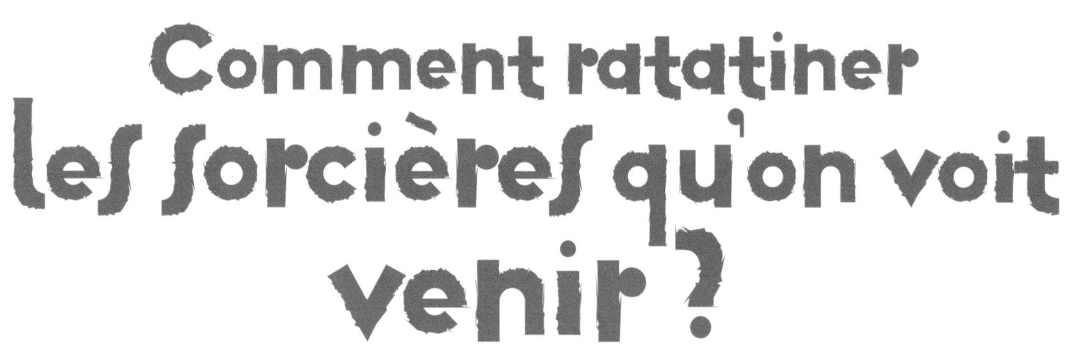
Comment ratatiner
les sorcières qu'on voit
venir ?

Elles ont les doigts crochus, le dos bossu,
la voix grinçante comme une grille rouillée,
de grands habits noirs et un chapeau pointu...
mais moins que leur nez ! Turlututu !

Pas de doute, ce sont des sorcières !

Préviens-les que tu les as reconnues
et que tu ne te laisseras pas faire !

Un peu de poivre dans le nez
les fera déjà reculer...

Les sorcières volent sur leurs balais
en ricanant...

Attrape l'aspirateur...
Grimpe vite dessus et démarre en trombe !
Elles ne pourront jamais te rattraper !

Comment ratatiner les sorcières rusées ?

Elles t'apportent une pomme empoisonnée...

Ne la croque surtout pas !
Fais-en de la compote pour les asticots...

Elles ouvrent une cage dorée
et t'invitent à y entrer
pour t'enfermer à double tour
jusqu'à la fin de tes jours...

Montre-leur que tu connais
les bonnes manières :
laisse-les passer les premières !

Les plus terribles veulent t'emporter
très loin, dans la forêt...

Elles avancent à grands pas,
leurs ombres arrivent sur toi...
Mais tu peux encore leur échapper :
lâche une souris juste à leurs pieds !

Elles partiront en courant
en tenant leurs jupons
et en poussant de petits cris... hi ! hi !

RUS-REX
YÉTI
VERUS
POUL
DEVO
CATUS
FOLUS
SERPENTUS MAGICUS

Les sorcières habitent avec des araignées, des corbeaux, des chauves-souris et des chats marteaux... Méfie-toi !

Elles aimeraient te changer en perroquet pour que leur zoo soit au complet.

Fais semblant d'être bête...
Obéis à leurs ordres,
mais glisse-toi en cachette dans leur bibliothèque :
ouvre leurs grimoires,
découvre leurs formules magiques
et transforme-les en crapaud, en vipère ou en vieille chouette.

Si tu ne sais pas encore lire, découpe les pages
et mélange tous les mots :
elles s'emmêleront dans leurs formules
et deviendront minuscules...

Comment ratatiner les sorcières déguisées en princesses ?

Le pire, c'est que les sorcières
ne sont pas toujours noires et moches :
pour te prendre au piège,
elles peuvent se montrer ravissantes et charmantes !

Mais leur déguisement ne tient pas longtemps :
refuse d'accourir dès qu'elles t'appellent,
de leur dire qu'elles sont les plus belles
et observe-les bien...

Tu verras apparaître leurs yeux en tête d'épingle,
leurs sourires-grimaces et leurs bagues à tête de mort...

Tu sauras qui elles sont vraiment
et elles ne pourront plus jamais t'embobiner !

Les sorcières détestent tous les enfants,
absolument tous,
et rêvent d'en faire de petits jambons !
Même si elles te racontent que tu es le plus beau
et qu'elles t'adorent,
qu'elles te couvrent de cadeaux et de pièces d'or,
c'est pour mieux te faire cuire à gros bouillons...

Sauve-toi avant qu'elles ne sortent leur chaudron !

Pour les empêcher de répéter
leur diabolique chanson,
prépare-leur une recette à ta façon :
orties, limaces et poison au potiron
les transformeront en tire-bouchons !

Comment ratatiner les sorcières qui font la sarabande ?

La nuit,
elles vont au bal des sorcières
et dansent toutes ensemble
dans un bruit de folie.

N'aie pas peur, elles ne s'occupent plus de toi...
Profites-en pour t'amuser toi aussi avec tes amis !
Renverse leurs potions,
découpe leurs capes noires
et envoie dans les flammes
leurs balais et grimoires !

Les sorcières verront soudain le feu d'artifice,
mais ne pourront plus provoquer de maléfices !
Elles resteront toutes bêtes sans leurs baguettes,
et s'enfuiront dépitées, pas prêtes à refaire la fête !

Si tu en trouves encore une
dans le placard à balais :
referme vite la porte !

Et si tu en vois encore une
cachée dans cette image :
referme vite le livre !

Elle sera écrasée, clac,
d'un coup !
Aplatie entre les pages !